这是我的书
It's MY BOOK

7级：400字

谁是英雄

作者：英娃（Ying Wa）
插图：冰河插画（Bing He Design）

U0891726

北京语言大学出版社
BEIJING LANGUAGE AND CULTURE UNIVERSITY PRESS

PHOENIX TREE
PHOENIX TREE PUBLISHING INC.

识读 邻居 躲 清扫 奇怪 保护 匆忙 低

句型 这是……

字数 411 字

yì zhī xiǎo sōng shǔ cōng cōng máng máng de pǎo zhe

一只小松鼠匆匆忙忙地跑着，

xiǎo huáng niǎo wèn tā nǐ zhè me zháo jí gàn shén me

小黄鸟问它："你这么着急干什么？"

xiǎo sōng shǔ shuō mā ma ràng wǒ zhǎo yi zhǎo bǎo

小松鼠说："妈妈让我找一找保

hù sēn lín de yīng xióng wǒ yào gǎn kuài qù

护森林的英雄，我要赶快去！"

xiǎo huáng niǎo tīng le xiào zhe shuō zhè yǒu shén
小黄鸟听了笑着说："这有什

me nán de wǒ zhī dào shéi shì yīng xióng xiǎo sōng
么难的？我知道谁是英雄。"小松

shǔ hěn gāo xìng kuài gào su wǒ shì shéi nǐ
鼠很高兴："快告诉我，是谁？""你

de lín jū zhuó mù niǎo a xiǎo sōng shǔ gǎn dào qí
的邻居啄木鸟啊！"小松鼠感到奇

guài wèi shén me tā shì yīng xióng ne
怪："为什么它是英雄呢？"

xiǎo sōng shǔ zhǎo dào zhuó mù niǎo zhuó mù niǎo shuō
小松鼠找到啄木鸟。啄木鸟说：

wǒ tiān tiān zài shù shang zhuō chóng zi duǒ zài shù gàn li
"我天天在树上捉虫子，躲在树干里

de hài chóng dōu shì wǒ de shí wù xiǎo sōng shǔ shuō
的害虫都是我的食物！"小松鼠说：

nǐ zhēn shì yí gè yīng xióng zhuó mù niǎo shuō bǎo hù
"你真是一个英雄！"啄木鸟说："保护

sēn lín de kě bù zhǐ wǒ yí gè nǐ dī xia tóu kàn
森林的可不止我一个。你低下头，看

kan dì shang nà zhī qiāng láng shǐ ke láng tā yě shì
看地上那只蜣螂（屎壳郎），它也是

yīng xióng
英雄！"

xiǎo sōng shǔ dī tóu wèn qiāng láng wèi shén me
小松鼠低头问蜣螂："为什么
zhuó mù niǎo shuō nǐ shì yīng xióng ne qiāng láng shuō
啄木鸟说你是英雄呢？"蜣螂说：
wǒ men tiān tiān qīng lǐ sēn lín li de lā jī nǐ
"我们天天清理森林里的垃圾。你
kàn zhè shì wǒ tuī le yì zǎo shang de dà fèn qiú yào
看，这是我推了一早上的大粪球。要
shi méi yǒu wǒ men sì chù qīng sǎo sēn lín néng zhè me
是没有我们四处清扫，森林能这么
gān jìng ma
干净吗？"

yuán lái shì zhè yàng nǐ men zhēn shì yīng xióng
"原来是这样，你们真是英雄！"
qiāng láng tīng le shuō xiè xie chú le wǒ men zhī
蜣螂听了说："谢谢！除了我们，蜘
zhū yě shì yīng xióng xiǎo sōng shǔ yì tīng lián máng
蛛也是英雄。"小松鼠一听，连忙
qù zhǎo zhī zhū
去找蜘蛛。

wèi shén me qiāng láng shuō nǐ shì yīng xióng ne
“为什么蜣螂说你是英雄呢？”

zhī zhū màn màn de shuō kàn jiàn zhè zhāng wǎng le ma
蜘蛛慢慢地说：“看见这张网了吗？

nà xiē zhuān mén dīng yǎo dòng wù de xiǎo fēi chóng pèng dào wǒ
那些专门叮咬动物的小飞虫碰到我

de wǎng jiù pǎo bu liǎo le wǒ huì bǎ zhè xiē xiǎo fēi
的网就跑不了了，我会把这些小飞

chóng dōu chī diào xiǎo sōng shǔ tīng le pāi qǐ shǒu lai
虫都吃掉。”小松鼠听了拍起手来：

nǐ zhēn shì yí gè bǎo hù dòng wù de yīng xióng
“你真是一个保护动物的英雄！”

xiàn zài xiǎo sōng shǔ zhī dào shéi shì yīng xióng le
现在小松鼠知道谁是英雄了，

tā duì mā ma shuō yīn wèi yǒu hěn duō yīng xióng bǎo
它对妈妈说："因为有很多英雄保

hù zhe sēn lín suǒ yǐ wǒ men cái néng kāi xīn de zhù
护着森林，所以我们才能开心地住

zài zhè li
在这里。"

1 一只小松鼠匆匆忙忙地跑着，小黄鸟问它："你这么着急干什么？"小松鼠说："妈妈让我找一找保护森林的英雄，我要赶快去！"

2 小黄鸟听了笑着说："这有什么难的？我知道谁是英雄。"小松鼠很高兴："快告诉我，是谁？""你的邻居啄木鸟啊！"小松鼠感到奇怪："为什么它是英雄呢？"

3 小松鼠找到啄木鸟。啄木鸟说："我天天在树上捉虫子，躲在树干里的害虫都是我的食物！"小松鼠说："你真是一个英雄！"啄木鸟说："保护森林的可不止我一个。你低下头，看看地上那只蜣螂（屎壳郎），它也是英雄！"

4 小松鼠低头问蜣螂："为什么啄木鸟说你是英雄呢？"蜣螂说："我们天天清理森林里的垃圾。你看，这是我推了一早上的大粪球。要是没有我们四处清扫，森林能这么干净吗？"

5 "原来是这样，你们真是英雄！"蜣螂听了说："谢谢！除了我们，蜘蛛也是英雄。"小松鼠一听，连忙去找蜘蛛。

6 "为什么蜣螂说你是英雄呢？"蜘蛛慢慢地说："看见这张网了吗？那些专门叮咬动物的小飞虫碰到我的网就跑不了了，我会把这些小飞虫都吃掉。"小松鼠听了拍起手来："你真是一个保护动物的英雄！"

7 现在小松鼠知道谁是英雄了，它对妈妈说："因为有很多英雄保护着森林，所以我们才能开心地住在这里。"

看图讲故事